30 RECETTES DE

Chocolat

Frédéric BERQUÉ

Dormonval
CH – LUCERNE

Chocolat de couverture

Ce chocolat est utilisé par les professionnels pour son éclat. Il est utilisé pour confectionner les bonbons, les enrobages, les décorations… Il possède une teneur en beurre de cacao élevée et doit être presque toujours tempéré avant son utilisation.

Chocolat noir

Il comprend du chocolat amer et du chocolat mi-sucré. Sa teneur en cacao varie entre 35 et 70 %. Plus le taux de cacao est élevé, plus l'arôme du chocolat est fort. Il peut être dégusté nature ou utilisé en pâtisserie.

Chocolat noir amer

Ce chocolat contient en moyenne 75 % de cacao. Ce pourcentage élevé le rend amer pour beaucoup de personnes. Son arôme particulièrement renforcé et sa couleur très foncée font du chocolat noir amer un produit très recherché pour la pâtisserie.

Chocolat au lait

Il renferme une certaine quantité de poudre de lait. Sa teneur en beurre de cacao est d'environ 20 %. Il possède une saveur douce et sucrée. Il ne convient pas beaucoup à la pâtisserie ni à la cuisine car il supporte mal la cuisson.

Chocolat blanc

Ce chocolat ne contient pas de cacao. Il est fabriqué à partir du beurre de cacao, auquel on ajoute du lait concentré, du sucre et de la vanille. Le chocolat blanc est un produit moelleux qui supporte mal la chaleur.

Cacao

On obtient la poudre de cacao en pressant la masse de chocolat fin afin d'en extraire le beurre de cacao. La pâte obtenue est torréfiée, broyée, puis tamisée. La poudre de cacao peut contenir 10 à 25 % de matières grasses. Le cacao est le moyen le plus simple de parfumer des préparations au chocolat.

Pâte à glacer

C'est un mélange de cacao, de sucre et de graisse végétale. En principe, elle ne contient pas de beurre de cacao. Elle s'emploie à 30 °C. Son usage est surtout professionnel.

Gianduja

Le gianduja est une pâte onctueuse et fondante composée dans ses grandes lignes de pâte de noisettes, de beurre de cacao, de chocolat de couverture et de sucre glace. Cette préparation, qui doit son nom à un personnage de la Comédie-Italienne, entre dans la composition de nombreuses garnitures et confiseries. Sa fabrication reste l'apanage des professionnels.

Cette opération est capitale pour obtenir le brillant, une texture homogène et lisse, une bonne fluidité et une rétraction maximale dans les moules.

Le tempérage est surtout utilisé pour les trempages, les moulages ou les enrobages.

Il consiste à porter la couverture à une série de températures déterminées de manière que le cacao, le beurre de cacao et le sucre se cristallisent parfaitement.

Voici comment vous devez vous y prendre avec le chocolat de couverture foncé.

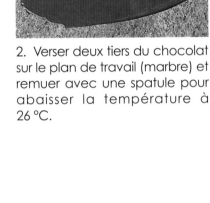

1. Faire fondre le chocolat au bain-marie. Il doit atteindre 45 °C. Utiliser un thermomètre.

2. Verser deux tiers du chocolat sur le plan de travail (marbre) et remuer avec une spatule pour abaisser la température à 26 °C.

3. Remettre le tout dans le bain-marie et porter la température à 32 °C en remuant.

Glaçage d'un Gâteau

Confectionner un glaçage au chocolat en suivant la recette de la page 18.
Étaler délicatement le glaçage avec une spatule métallique en commençant par le haut du gâteau puis en lissant les bords.

Trempage d'un Bonbon

Tempérer le chocolat de couverture comme indiqué page précédente. Tremper les bonbons dans le chocolat de couverture à l'aide d'une fourchette.
Égoutter les bonbons puis les déposer sur une feuille de papier sulfurisé.

Il suffit, à l'aide d'un épluche-légumes, d'«éplucher» une tablette de chocolat préalablement refroidie au réfrigérateur.

1. Découper le chocolat en petits morceaux, laisser fondre doucement au bain-marie. Verser le chocolat fondu et homogène sur un plan de travail bien lisse. Étaler avec une spatule. Laisser durcir quelques minutes.

2. Racler des bandes de chocolat avec une spatule triangulaire de 5 cm de largeur (incliner à 30°). Les petits copeaux doivent s'enrouler autour d'eux-mêmes. Il ne faut pas les faire trop épais.

3. À l'aide d'une longue lame de couteau, racler vers soi pour confectionner de fins et longs copeaux.

Copeaux de Chocolat

6

Formes Simples en Chocolat

1. Découper le chocolat en petits morceaux, laisser fondre doucement au bain-marie. Verser le chocolat sur un plan de travail bien lisse et, si possible, froid. L'étaler avec une spatule sur une épaisseur de 2 à 3 mm. Laisser prendre.

2. À l'aide d'un emporte-pièce ou d'un couteau, tracer toutes sortes de petites formes simples : carrés, ronds, triangles. Les décoller soigneusement avec une petite spatule ou la lame d'un couteau.

Sauce au Chocolat

4 pers.

200 g de chocolat noir / 30 g de beurre.

Concasser le chocolat en morceaux. Le faire fondre douce-ment dans une casserole avec 2 dl d'eau, au bain-marie. Ajouter le beurre en parcelles. Fouetter et maintenir au chaud.

Le beurre apporte du goût, de la rondeur et de la brillance à la sauce.
On peut remplacer l'eau par du lait ou de la crème.
Certains professionnels utilisent du chocolat en granulés, ce qui évite d'avoir à le concasser.

Glaçage au Chocolat

Pour 300 g

250 g de chocolat de couverture ou de très bon chocolat / 125 g de beurre.

Hacher grossièrement le chocolat.
Le mettre à fondre avec le beurre au bain-marie.
Bien mélanger avec la spatule.

Génoise

20 g de beurre / 125 g de farine + 20 g pour le moule / 4 œufs /
125 g de sucre.

Chemiser le moule : beurrer soigneusement un moule à génoise
au pinceau, saupoudrer de farine. Taper le moule délicatement en le retournant pour enlever l'excédent de farine.
Appareil à génoise : tamiser la farine. Mélanger les œufs entiers
et le sucre jusqu'à ce que le mélange blanchisse. Placer le récipient sur un bain-marie. Monter l'appareil en fouettant énergi-
quement. L'appareil doit doubler de volume. Attention à la
température (la main doit supporter le contact du fond de la
bassine). Hors du feu, incorporer la farine en pluie en soulevant
délicatement l'appareil avec une spatule. Il ne doit plus y avoir
de traces de farine.
Verser l'appareil dans le moule. Ne pas lisser. Cuire dans un four
à 170 °C (th. 5-6) pendant 25 minutes. Débarrasser aussitôt sur
une grille.

Les plaques de biscuits se réalisent de la même façon.
Étaler la pâte sur une feuille de papier sulfurisé beurrée à l'aide d'une spatule.
Cuire au four jusqu'à ce que les bords dorent. Retourner la plaque sur une autre
feuille. Rouler jusqu'à utilisation.
Pour confectionner une génoise au chocolat, il suffit de remplacer les 125 g de
farine par 100 g de farine et 25 g de cacao.

Pâte Sucrée

250 g de farine / 125 g de beurre / 1 œuf / 100 g de sucre glace / Une pincée de sel fin.

Tamiser la farine et former une fontaine dans un récipient ou directement sur le plan de travail. Au centre, placer le beurre en parcelles, l'œuf entier, le sucre glace et une pincée de sel. Mélanger la farine, le beurre, l'œuf, le sucre glace et le sel jusqu'à obtenir une consistance sableuse (1). Fraiser, c'est-à-dire écraser la pâte sous la paume de sa main pour la rendre homogène (2). Réserver au frais.

Attention, la pâte sucrée est très friable. Elle convient plutôt pour de petites portions.

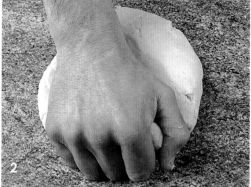

8 personnes   X ☺

Crème Ganache

200 g de chocolat noir / 60 g de beurre / 2 dl de crème fraîche liquide.

Concasser le chocolat en morceaux et le faire fondre doucement au bain-marie.
Ajouter le beurre en parcelles puis la crème liquide. Lisser au fouet et réserver.

L'utilisation du beurre n'est pas toujours nécessaire. Il apporte néanmoins de la finesse à la préparation.
La ganache est une crème de pâtisserie à base de chocolat qui sert à garnir les entremets, à fourrer les gâteaux ou des bonbons. Son invention remonte à 1850, elle fut créée par la pâtisserie Siraudin, à Paris.

20 g de beurre / 6 ou 12 figues fraîches / 30 g de sucre / 5 cl de marasquin.
Sabayon cacao : 4 jaunes d'œufs / 200 g de sucre / 8 cl de marasquin / 1 dl de crème fraîche / 30 g de cacao.

Figues rôties : dans un plat beurré, déposer les figues coupées en deux. Saupoudrer de sucre et arroser de marasquin. Cuire 5 minutes dans un four à 210 °C (th. 7).
Sabayon : réunir dans une casserole les jaunes d'œufs et le sucre. Fouetter jusqu'à ce que le mélange blanchisse. Ajouter le marasquin et 5 cl d'eau. Émulsionner le tout avec un fouet à feu très doux. Le sabayon doit légèrement épaissir. Hors du feu, incorporer la crème fouettée, puis le cacao.
Verser le sabayon dans un plat ou dans des assiettes. Disposer les demi-figues rôties. Passer à four très chaud, en position gril, à 300 °C jusqu'à coloration.

Le marasquin peut être remplacé par du Cointreau ou du Grand Marnier.

6 personnes

XX ©©

2 pommes golden / 50 g de sucre glace / 50 g de beurre fondu / 4 feuilles de brick / 30 g de graines de pavot / 230 g de crème ganache chocolat (p. 11) / 2 dl de fromage blanc sucré.

Émincer les pommes en gros quartiers de 2 cm d'épaisseur. Saupoudrer de sucre glace. Caraméliser les pommes dans une poêle avec du beurre (les quartiers doivent rester fermes). Refroidir.
Beurrer les feuilles de brick au pinceau. Saupoudrer de pavot. Placer au centre des 4 feuilles les quartiers de pommes caramélisées puis une grosse cuillerée de ganache refroidie. Refermer les bricks avec une petite pique en bois. Cuire dans un four très chaud à 210 °C (th. 7) quelques minutes. Les bricks doivent légèrement colorer.
Servir avec du fromage blanc sucré à peine fouetté.

Les feuilles de brick sont très fragiles à la cuisson. Il est conseillé de renforcer le fond en plaçant un petit morceau de feuille (pour confectionner 4 croustillants, il faut 4 feuilles entières et une cinquième coupée en quatre).

Croustillants de Pommes

4 personnes   X X ☺☺

Pâte à frire : 200 g de farine / 3 œufs / 20 cl de bière / 5 cl d'huile / Sel fin.
Crème chocolat : 50 cl de lait / 100 g de chocolat / 5 jaunes d'œufs / 150 g de sucre / 100 g de farine / 10 g de beurre (pour le moule).
50 g de sucre glace (décor).

Pâte à frire : disposer la farine tamisée en fontaine. Ajouter le sel, les jaunes d'œufs et la bière. Délayer le tout progressivement avec un petit fouet. Verser un peu d'huile dessus et conserver au frais.

Crème chocolat : faire bouillir le lait avec le chocolat. Travailler les jaunes d'œufs et le sucre jusqu'à ce que le mélange blanchisse. Ajouter la farine. Verser le lait chocolaté, mélanger, reverser l'ensemble dans la casserole et faire bouillir 3 minutes en remuant. Étaler dans un plat beurré une couche de crème au chocolat de 2 cm d'épaisseur. Laisser prendre au réfrigérateur 2 heures.

Finition : terminer la pâte à frire en ajoutant les 3 blancs d'œufs montés en neige. Découper des formes dans la crème au chocolat refroidie et compacte. Les enrober de pâte à frire et les plonger dans de l'huile de friture bouillante à 180 °C pendant quelques minutes. Saupoudrer de sucre glace.

Crème Frite au Chocolat

6 personnes

XX☉

Fondue : 250 g de chocolat noir / 2,5 dl de lait / 50 g de beurre / 1 dl de crème fraîche liquide / 1 gousse de vanille.
Fruits (au choix) : fraises / Cerises / Mangue / Melon / Banane / Carambole / Ananas...

Fondue : dans un caquelon à fondue, faire fondre doucement le chocolat concassé dans le lait, le beurre en parcelles et la crème. Parfumer en ajoutant la gousse de vanille.
Fruits : laisser les petits fruits entiers (fraises, cerises...). Découper en cubes les plus gros (mangue, melon...) ou les émincer (banane, carambole).

Fondue au Chocolat

6 personnes

XX ☺☺

1 orange / 100 g de sucre / 20 g de beurre / 20 g de sucre glace.
Crème pâtissière chocolat : 50 cl de lait / 4 jaunes d'œufs / 125 g de sucre en poudre / 60 g de farine / 50 g de cacao / 5 cl de Grand Marnier.
Finition des soufflés : 2 œufs entiers + 4 blancs.

Filaments d'orange confits : laver et prélever finement la peau d'une orange non traitée. Tailler de fins filaments (1 mm d'épaisseur, 4 cm de long). Les blanchir dans de l'eau 1 minute. Confectionner un sirop avec 100 g de sucre et 1,5 dl d'eau. Plonger les filaments dans le sirop et les cuire tout doucement 30 minutes pour les confire.
Crème pâtissière : faire bouillir le lait. Fouetter les jaunes d'œufs et le sucre jusqu'à ce que le mélange blanchisse. Ajouter la farine tamisée. Verser le lait bouillant sur le mélange. Reverser dans la casserole et faire bouillir de nouveau cette crème pâtissière pendant 3 minutes en remuant. Aromatiser avec le cacao et le Grand Marnier. Réserver 10 minutes. Ajouter 2 jaunes d'œufs crus à la crème pâtissière puis 6 blancs montés en neige. Incorporer très délicatement avec une spatule.
Beurrer soigneusement 8 ramequins, remplir d'appareil à soufflé et lisser le dessus. Démarrer la cuisson au bain-marie sur le feu 2 minutes puis cuire au four à 200 °C (th. 6-7) pendant 15 minutes.
Saupoudrer de sucre glace à la sortie du four et décorer avec les filaments d'orange.

Petits Soufflés Chocolat-Orange

XX☺

8 personnes

125 g de chocolat / 150 g de beurre / 5 œufs entiers + 3 jaunes / 80 g de sucre en poudre / 30 g de fécule de maïs / 20 g de farine et 20 g de beurre pour le moule.
Crème anglaise à la chicorée : 1/2 l de lait / 2 cl de chicorée liquide / 4 jaunes d'œufs / 125 g de sucre.

Appareil à pudding : faire fondre le chocolat au bain-marie. Travailler le beurre en pommade. Blanchir les jaunes d'œufs avec le sucre en poudre. Mélanger les trois éléments avec une spatule. Ajouter la fécule de maïs et incorporer délicatement les blancs montés en neige très ferme. Verser dans un moule à charlotte beurré et fariné. Cuire au bain-marie à 200 °C (th. 6-7) pendant 45 minutes.

Crème anglaise à la chicorée : porter le lait à ébullition avec la chicorée liquide. Travailler les jaunes d'œufs et le sucre jusqu'à ce que le mélange blanchisse. Verser le lait bouillant dessus. Mélanger délicatement (éviter la mousse). Recuire le tout sans cesser de remuer avec une spatule en bois et surtout sans faire bouillir. La crème anglaise doit napper la spatule. Refroidir rapidement et réserver au frais.

Dressage : démouler le pudding froid ou encore tiède dans un plat rond. Arroser de crème anglaise à la chicorée.

8 personnes

XX©©

6 jaunes d'œufs / 125 g de sucre / 5 dl de crème fraîche / 20 g de cacao / Quelques feuilles de menthe / 50 g de cassonade.

Blanchir avec un fouet les jaunes d'œufs et le sucre. Ajouter la crème, le cacao et les feuilles de menthe coupées très finement. Verser l'appareil dans 4 gros ramequins plats. Cuire à 120 °C (th. 4) pendant 40 minutes. Réserver toute une nuit au frais.

Finition : au moment de servir, parsemer de cassonade, marquer avec un fer à crème brûlée ou passer la flamme d'un chalumeau pour caraméliser la cassonade. Il faut absolument préserver le contraste de température entre la crème froide et le caramel chaud.

Crème Brûlée Menthe-Chocolat

4 personnes

XX☺

Crème anglaise : 50 cl de lait / 40 g de sirop d'érable / 80 g de sucre / 2 œufs entiers + 2 jaunes.
Moelleux : 125 g de chocolat / 125 g de beurre / 2 œufs / 2 jaunes d'œufs / 40 g de sucre glace / 40 g de farine.

Crème anglaise au sirop d'érable : faire bouillir le lait avec le sirop d'érable. Fouetter le sucre et les jaunes d'œufs jusqu'à ce que le mélange blanchisse. Verser le lait bouillant. Mélanger. Reverser dans la casserole et cuire jusqu'à ce que la sauce devienne nappante. Verser dans un récipient froid. Refroidir au réfrigérateur.
Les petits moelleux : faire fondre le chocolat au bain-marie. Travailler le beurre en pommade avec une spatule en bois. Mélanger avec le chocolat. Ajouter les œufs entiers et les jaunes puis le sucre et la farine tamisée. Beurrer et fariner 8 ramequins. Remplir d'appareil à moelleux. Cuire dans un four à 210 °C (th. 7) pendant 10 minutes.
Dressage : servir les moelleux tièdes ou chauds, entourés d'un cordon de crème anglaise au sirop d'érable bien froide.

Ce dessert peut être aussi accompagné de pêches fraîches simplement épluchées et émincées.

8 personnes

XX ∞∞

400 g de chocolat noir / 8 blancs d'œufs / 40 g de sucre en poudre / 40 cl de crème fraîche liquide.

Concasser le chocolat en morceaux. Le faire fondre doucement au bain-marie.

Fouetter les blancs en neige en incorporant le sucre en milieu d'opération.

Préparer la crème fouettée.

Verser délicatement le chocolat fondu sur les œufs en neige (ne jamais faire l'inverse). Mélanger au fur et à mesure avec une spatule en bois.

Terminer la mousse en incorporant la crème fouettée.

Dresser dans des coupes individuelles. Réserver au frais 2 heures.

Cette mousse au chocolat sans beurre et sans jaunes d'œufs est très légère.

Mousse au Chocolat

8 personnes

Biscuit au chocolat : 5 œufs / 100 g de sucre / 50 g de farine / 30 g de cacao / 100 g de poudre d'amande / 100 g de beurre + 20 g (papier sulfurisé).

Mousse : 250 g de chocolat noir / 100 g de sucre / 1 feuille de gélatine / 3 jaunes d'œufs / 30 cl de crème fraîche liquide / 50 g de sucre glace.

Décor : 120 g de cerises au sirop / 30 g de cacao / 50 g de bigarreaux confits.

Biscuit au chocolat : mélanger les jaunes d'œufs et le sucre jusqu'à ce que le mélange blanchisse. Ajouter la farine et le cacao tamisés. Terminer en incorporant la poudre d'amande puis le beurre fondu. Monter les blancs en neige. Les ajouter délicatement à la préparation. Étaler la préparation sur un papier sulfurisé beurré et cuire dans un four à 200 °C (th. 6-7) pendant 8 à 10 minutes.

Mousse : faire fondre le chocolat concassé au bain-marie. Faire bouillir 1 dl d'eau et le sucre pendant 8 minutes. Hors du feu, ajouter une feuille de gélatine trempée dans l'eau froide 2 minutes puis bien égouttée. Battre les jaunes et verser le sirop bouillant dessus. Fouetter au batteur électrique jusqu'à ce que le volume double et que l'ensemble soit froid. Ajouter délicatement le chocolat fondu. Terminer en incorporant la chantilly. Maintenir au frais (attention, la mousse est assez liquide au début, mais devient bien ferme par la suite !).

Montage : tapisser un moule à cake de film alimentaire. Détailler dans le biscuit 4 rectangles correspondant aux dimensions du moule. Placer une bande de biscuit au fond du moule puis 2 autres sur les côtés. Garnir d'une couche de mousse. Parsemer de cerises. Répéter l'opération jusqu'à épuisement des produits et en terminant par une bande de biscuit. Tasser légèrement et replier le film alimentaire. Conserver au frais pendant 2 heures.

Démouler, saupoudrer de cacao et décorer avec les bigarreaux.

Terrine Cherry-Chocolat

6 personnes

XX ⊚⊚

100 g de sucre / 2 cl de cointreau / 20 biscuits à la cuiller / 900 g de mousse au chocolat (p. 27).

Préparer un sirop en faisant bouillir 100 g de sucre avec 1 dl d'eau et le cointreau. Imbiber les biscuits à la cuiller en préservant la partie en sucre glace. Chemiser entièrement un moule à charlotte avec les biscuits, côté plat à l'intérieur.
Garnir le moule avec la mousse au chocolat. Conserver au réfrigérateur au moins 3 heures. Démouler avant le service et décorer avec un ruban en tissu de couleur vive.

On peut la décorer avec des physalis.
Pour obtenir un joli résultat à la découpe, il est préférable de confectionner 2 charlottes de 4 personnes.

Charlotte au Chocolat

8 personnes   XX☙☙

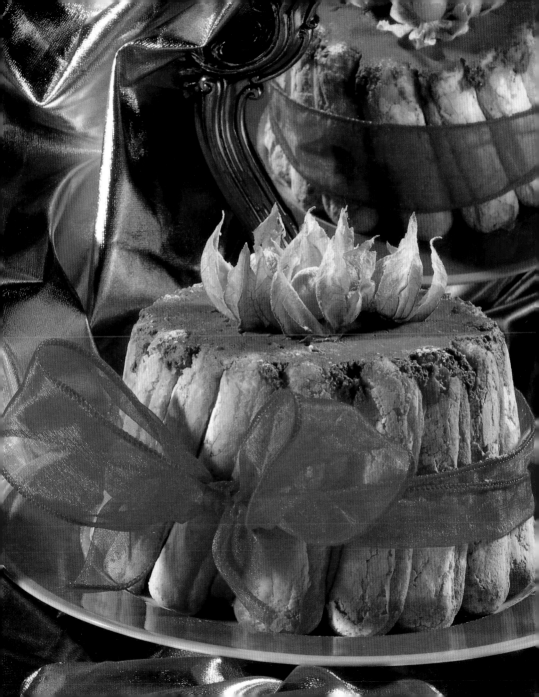

Mousse au chocolat : 300 g de chocolat / 6 blancs d'œufs / 30 g de sucre / 30 cl de crème fraîche liquide.
1 plaque de biscuit (p. 9).

Préparer une mousse au chocolat (p. 27) avec les ingrédients ci-dessus.

Sur un torchon légèrement humide, poser la plaque de biscuit encore tiède. Étaler avec une spatule 1/4 de la mousse au chocolat. Rouler le biscuit par le grand côté. Serrer pour lui donner une forme cylindrique de 4 cm de diamètre. Maintenir quelques minutes dans le torchon humide. Tailler le biscuit roulé en tranches de 1 cm d'épaisseur. Chemiser un moule en forme de bol avec les petites tranches de biscuit. Remplir le moule chemisé avec le reste de la mousse au chocolat. Conserver au réfrigérateur pendant 3 heures.

On peut la décorer avec un peu de chantilly.

Charlotte Russe

6 personnes   XXX⊛⊛

1 plaque de biscuit aux noisettes : 5 œufs / 100 g de sucre / 50 g de farine / 100 g de noisettes en poudre / 20 g de beurre.
Mousse : 250 g de chocolat noir / 100 g de sucre / 1 feuille de gélatine / 3 jaunes d'œufs / 3 dl de crème fraîche liquide / 50 g de sucre glace.
Sirop : 50 g de sucre / 5 cl d'amaretto.
Décor : 30 g de cacao / Physalis.

Préparer le biscuit (p. 9) en ajoutant les noisettes en poudre avec la farine.
Faire fondre le chocolat concassé au bain-marie. Faire bouillir 1 dl d'eau et le sucre pendant 8 minutes, ajouter la feuille de gélatine trempée dans l'eau froide 2 minutes puis bien égouttée. La dissoudre d'un coup de fouet. Battre les jaunes d'œufs et verser le sirop bouillant en filet. Fouetter au batteur électrique jusqu'à ce que le volume double et refroidisse. Ajouter délicatement le chocolat fondu. Terminer en incorporant la crème fouettée avec le sucre glace. Maintenir au frais (attention, la mousse sera assez liquide au début, mais deviendra bien ferme par la suite).
Faire bouillir dans une casserole 1 dl d'eau, le sucre et l'amaretto.
Dans un cercle à pâtisserie, poser un disque de biscuit. L'imbiber de sirop avec un pinceau. Garnir avec 1/4 de la mousse au chocolat. Laisser prendre. Poser un deuxième disque. Garnir avec le reste de mousse au chocolat. Lisser à la spatule. Laisser prendre au réfrigérateur pendant 2 heures. Décercler et saupoudrer l'entremets avec du cacao. Décorer avec des physalis.

Délice Fondant au Chocolat

8 personnes

XX ඏඏ

1 plaque de biscuit (p. 9).

Sirop : 100 g de sucre / 5 cl de Cointreau.

Mousse à l'orange : 15 cl de jus d'orange / 100 g de sucre / 1 cl de Grand Marnier / 5 feuilles de gélatine / 300 g de crème fraîche liquide.

Mousse au chocolat : 150 g de chocolat / 300 g de crème fraîche liquide.

Décor : 150 g de gelée d'abricot / 50 g de zestes d'orange confits (facultatif).

Détailler 2 disques de taille identique dans la plaque de biscuit. Faire bouillir quelques secondes 1 dl d'eau, le sucre et le Cointreau.

Faire bouillir le jus d'orange, le sucre et le Grand Marnier dans une casserole. Incorporer les feuilles de gélatine préalablement trempées dans l'eau froide et égouttées. Les dissoudre d'un coup de fouet. Refroidir rapidement sans laisser prendre. Fouetter la crème et l'incorporer doucement dans le jus d'orange presque pris.

Faire fondre doucement au bain-marie le chocolat concassé. Verser sur la crème fouettée. Mélanger avec un fouet. Réserver au frais sans laisser prendre.

Dans un cercle en inox, déposer le premier disque de biscuit. L'imbiber avec le sirop puis étaler délicatement la mousse au chocolat. Recouvrir du deuxième disque de biscuit. Imbiber. Verser la mousse à l'orange. Laisser prendre au frais pendant 3 heures. Couler la gelée d'abricot tiède sur l'entremets. Laisser prendre. Retirer le cercle. Décorer éventuellement avec des zestes d'orange confits.

Fantaisie à l'Orange

10 personnes   XX @@

2 disques de 22 cm de meringue aux amandes / 10 g de beurre (pour le papier sulfurisé) / 20 g de sucre glace.
Appareil à parfait : 200 g de sucre / 8 jaunes d'œufs / 200 g de chocolat / 3 dl de crème fraîche liquide / 50 g de pralines roses.
Décor : 50 g de sucre glace / 50 g de pralines roses.

Dans une casserole, mélanger le sucre et 1 dl d'eau, faire bouillir jusqu'à atteindre la cuisson du «filet», 110 °C (au toucher entre le pouce et l'index : une goutte de sirop se transforme en petit fil). Verser le sirop encore bouillant sur les jaunes d'œufs et fouetter jusqu'à complet refroidissement (on peut utiliser un fouet électrique ou un batteur). L'appareil doit être jaune très clair et aéré.
Faire fondre délicatement le chocolat en morceaux au bain-marie. Fouetter la crème liquide bien froide. Incorporer délicatement le chocolat puis la crème fouettée au mélange sirop de sucre-œufs. Ajouter les pralines roses.
Poser un fond de meringue dans un cercle à pâtisserie. Garnir avec la moitié de l'appareil à parfait. Recouvrir du second disque. Terminer avec le reste de l'appareil. Lisser. Faire durcir 3 heures au réfrigérateur. Saupoudrer de sucre glace. Caraméliser la surface avec un chalumeau. Ôter le cercle et décorer avec les pralines roses.

Faveur aux Pralines Roses

XX ☺☺

8 personnes

Pâte sablée : 250 g de farine / 100 g de sucre glace / 125 g de beurre / 1 œuf / Une pincée de sel fin.
Garniture : 200 g de chocolat noir / 1 dl de lait / 2 dl de crème fraîche liquide.
Décor : 30 g de cacao.

Pâte sablée : mélanger la farine tamisée et le sucre glace. Ajouter le beurre en parcelles. Sabler le tout entre les deux mains de manière à obtenir une poudre fine. Confectionner une fontaine et ajouter l'œuf et le sel. Mélanger le tout du bout des doigts puis écraser rapidement la pâte. Réserver au frais quelques minutes. Étaler la pâte. En garnir un moule à tarte beurré. Piquer et cuire à blanc dans le four à 200 °C (th. 6-7) pendant 15 minutes.

Garniture au chocolat : concasser le chocolat et le faire fondre au bain-marie. Faire bouillir le lait et la crème. Mélanger avec le chocolat et lisser le tout au fouet.

Finition : à l'aide d'une spatule métallique, recouvrir la pâte avec la garniture au chocolat. Laisser durcir. Quadriller au couteau et saupoudrer de cacao.

Tarte au Chocolat

8 personnes

XX☺☺

Pâte à gâteau : 100 g de chocolat au lait / 4 œufs / 200 g de sucre / 125 g de beurre + 20 g (pour le moule) / 100 g de farine / 1/2 sachet de levure chimique / 125 g de noisettes moulues.
Glaçage chocolat : 100 g de chocolat noir.

Concasser le chocolat au lait. Le faire fondre doucement au bain-marie.
Travailler les jaunes d'œufs et le sucre jusqu'à ce que le mélange blanchisse. Ajouter le beurre en pommade puis le chocolat fondu. Incorporer la farine tamisée, la levure chimique puis les noisettes. Monter les blancs d'œufs en neige et les ajouter délicatement à la préparation. Beurrer un moule en forme de couronne. Remplir avec la pâte. Cuire à 180 °C (th. 6) pendant 45 minutes.
Finition : laisser refroidir et glacer la couronne avec du chocolat noir fondu au bain-marie.

Couronne Noisettes

8 personnes   XX◎◎

Génoise au chocolat : 100 g de farine / 4 œufs / 125 g de sucre en poudre / 25 g de cacao.
Sirop + garniture : 250 g de griottes au sirop / 5 cl de kirsch.
Crème Chantilly : 50 g de sucre en poudre / 50 cl de crème fraîche liquide.
Décor : 250 g de copeaux de chocolat noir.

Préparer une génoise (p. 9) en ajoutant le cacao à la farine.
Retourner la génoise refroidie et la découper en 3 disques réguliers (le montage de la forêt-noire se fait à l'envers).
Égoutter les griottes, réserver le sirop en le parfumant avec le kirsch. Imbiber les 3 disques de génoise avec le sirop. Confectionner une crème Chantilly. Garnir le premier disque de chantilly et de griottes. Recouvrir du second disque et recommencer l'opération. Terminer en ajoutant le dernier disque de génoise. Décorer en recouvrant uniformément de chantilly et de copeaux de chocolat. Finir par des rosettes de chantilly surmontées d'une griotte.
Pour réaliser des copeaux de chocolat, on peut racler la tranche d'une plaque de chocolat à l'aide d'un couteau épluche-légumes. Ne pas toucher les copeaux avec les doigts, ils fondraient immédiatement.

Forêt-Noire

8 personnes

1 plaque de biscuit aux amandes : 5 œufs / 100 g de sucre / 100 g de farine / 50 g de poudre d'amande / 20 g de beurre.
Ganache : 300 g de chocolat / 100 g de beurre / 3 dl de crème fraîche liquide.
600 g de crème au beurre / Extrait de café.
Glaçage : 100 g de chocolat de couverture / 100 g de crème fraîche liquide.

Préparer le biscuit comme la génoise (p. 9) en ajoutant la poudre d'amande à la farine. Cuire en plaque sur du papier sulfurisé. Détailler 3 rectangles identiques.
Ganache : confectionner une ganache classique en mélangeant le chocolat et le beurre fondus avec la crème liquide.
Parfumer la crème au beurre en ajoutant l'extrait de café.
Glaçage : élaborer le glaçage chocolat en mélangeant le chocolat de couverture fondu avec la crème fraîche.
Montage de l'opéra : sur le premier biscuit, étaler la ganache. Recouvrir du deuxième biscuit. Étaler la crème au beurre café. Recouvrir du dernier biscuit. Laisser prendre 2 heures au frais. Glacer l'entremets avec le glaçage chocolat.
Réserver au frais.

On peut imbiber le biscuit avec un sirop parfumé au café.

Opéra

8 personnes

XX

24 biscuits à la cuiller / 300 g de poires au sirop / 1 cl d'eau-de-vie de poire / 1/4 l de glace vanille / 1/4 l de glace chocolat / 1 dl de chantilly / 1/4 l de sauce au chocolat (p. 8).

Imbiber les biscuits à la cuiller avec le sirop des poires parfumé à l'eau-de-vie.

Chemiser entièrement un moule à charlotte avec les biscuits (côté bombé à l'extérieur).

Découper les poires en petits cubes de 5 mm.

Garnir la charlotte en alternant des couches de 2 cm de glace vanille et de glace chocolat. Entre chaque couche, déposer les petits cubes de poire. Lisser la dernière couche et conserver au congélateur.

Démouler. Décorer de crème Chantilly. Servir à part une sauce au chocolat.

Pour bien répartir la glace en petites couches de 2 cm d'épaisseur, il faut qu'elle soit souple. Pour ce faire, la laisser à température ambiante ou utiliser le four micro-ondes pour atteindre la souplesse souhaitée. Travailler la glace à la spatule.

Charlotte Glacée Belle-Hélène

XX ❀❀

6 personnes

200 g de sucre / 8 jaunes d'œufs / 200 g de chocolat / 3 dl de crème liquide.
Décor : cacao en poudre / Copeaux de chocolat.

Appareil à bombe : dans une casserole, mélanger le sucre et 1 dl d'eau, faire bouillir jusqu'à atteindre la cuisson du « filet » (110 °C) : une goutte de sirop se transforme en petit fil entre le pouce et l'index. Verser le sirop encore bouillant sur les jaunes et fouetter jusqu'à complet refroidissement (on peut utiliser un fouet électrique). L'appareil doit être jaune très clair et aéré.

Appareil à parfait : faire fondre délicatement le chocolat au bain-marie. Fouetter la crème liquide bien froide. Incorporer délicatement le chocolat puis la crème fouettée à l'appareil à bombe. Verser la préparation dans un moule à parfait et laisser prendre au congélateur pendant toute une nuit.

Démoulage : passer le moule quelques secondes au bain-marie. Saupoudrer de cacao. Décorer avec des copeaux de chocolat.

Parfait Glacé au Chocolat

8 personnes   XX☺☺

200 g de chocolat noir / 4 cl de crème fraîche liquide / 50 g de beurre / 50 g de cacao.

Concasser le chocolat en morceaux, faire fondre doucement au bain-marie.

Faire bouillir la crème, l'ajouter au chocolat. Terminer en incorporant le beurre en parcelles. Bien lisser la préparation avec un fouet. Laisser refroidir 1 heure au réfrigérateur. Façonner des petites boules en prélevant la pâte avec une petite cuillère. Les rouler dans le cacao en poudre.

Réserver de nouveau au frais.

Les truffes sont la friandise de Noël et accompagnent agréablement le café. Les muscadines sont des truffes en chocolat de forme allongée, trempées dans du chocolat de couverture puis saupoudrées de sucre glace. Les truffettes de Chambéry sont à base de pralin et roulées dans du chocolat râpé.

Truffes au Chocolat

20 pièces

XX◎

300 g de chocolat noir / 300 g de beurre / 250 g de sucre en poudre / 125 g de farine / 1 sachet de levure chimique / 4 œufs / 150 g de noix de pécan.

Faire fondre doucement au bain-marie le chocolat avec le beurre. Ajouter le sucre.

Tamiser la farine et la levure et les incorporer délicatement au chocolat.

Ajouter les œufs un par un sans trop travailler la pâte puis terminer avec les noix de pécan grossièrement concassées.

Beurrer et fariner soigneusement une plaque à biscuit. Verser la préparation.

Cuire à four doux à 140 °C (th. 4-5) pendant 40 minutes (vérifier la cuisson avec la pointe d'un couteau).

Réserver au froid toute une nuit. Détailler en petits rectangles.

Brownies

25 pièces environ

XX ⬭⬭

100 g d'amandes effilées / 100 g de sucre glace / 25 g de farine / 1 œuf entier + 1 blanc / 25 g de beurre + 30 g (pour la plaque) / 50 g de chocolat noir.

Réunir dans une calotte les amandes effilées, le sucre glace et la farine. Ajouter l'œuf et le blanc d'œuf. Mélanger délicatement avec une spatule en bois. Ajouter le beurre fondu refroidi au dernier moment.

Beurrer 2 plaques à pâtisserie. Disposer 12 petits tas d'appareil par plaque. Aplatir chaque tas avec une fourchette en donnant une forme ronde. Parsemer de chocolat préalablement concassé grossièrement au couteau. Cuire dans un four chaud, à 200 °C (th. 6-7), quelques minutes.

À la sortie du four, décoller immédiatement avec une spatule métallique chaque tuile et les courber à l'aide d'une gouttière ou d'un moule cylindrique. Cette dernière opération nécessite de la rapidité, aussi faut-il cuire une seule plaque de tuiles à la fois.

On peut utiliser un tapis de cuisson antiadhésif pour la cuisson des tuiles.

Tuiles Craquantes

20 pièces

XX☺

Table des Matières